JN083775

U18

世の中ガイドブック

STAYING SAFE ONLINE

ネットとSNSを安全に使いこなす方法

ルーイ・ストウェル 著

小寺敦子 訳

東京書籍

U18

世の中ガイドブック

STAYING SAFE ONLINE

ネットとSNSを
安全に使いこなす
方法

ルーイ・ストウェル **著**

小寺敦子 **訳**

はじめに

　インターネット（以下、ネット）とSNS（ソーシャル・ネットワーキング・サービス）はまさに夢のような発明だよね。これさえあれば、友だちといつでもコミュニケーションがとれて、いっしょにゲームをしたり、映画の予告編を見たり、世界中の人とつながることができてやりとりできたり、動物の赤ちゃんのかわいい動画を好きなだけ楽しんだり、あらゆる情報を収集したり、何だってできる。

　でも、日常生活（リアル）と同じように、ネットやSNSの世界で礼儀をわきまえない人、不愉快な人に出会うことはある。ネットとSNSを犯罪に悪用する人だっている。

　そこでこの本では、ネットやSNSと安全に付き合うにはどうしたらよいか、ネットやSNS上で問題を起こすような人と遭遇したらどうすればよいかなど、さまざまな方法や対策を伝授するよ。といっても、ネットとSNSで困った話ばかりではなく、これらを活用してどんなによいことができるかについてもいろいろ紹介してある。

　ネットやSNSをむやみにこわがる必要はない。そもそも、SNSの本来の目的と意味は「人と人とのつながりを促進しサポートするコミュニティ型の会員制サービス」なのだ。少し用心して、好奇心だけでなく警戒心も忘れずに。なにしろ、これらは、私たちの頭脳を活性化してくれるすごいシステムなのだから。

もくじ

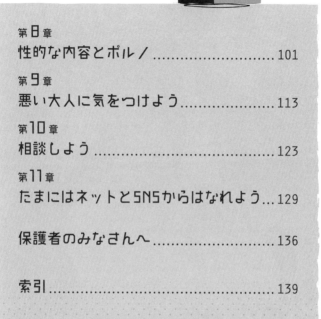

インターネットって、
何もかもみーんなうまくいっちゃう、
みたいな感じよ

インターネットの基本を知ろう

まずは、インターネット（以降、本文ではネット、小見出しではインターネットと記すよ）を安全に使うための基本中の基本を紹介するよ。

インターネットってなに？

ネットは、何十億台ものコンピュータが、ケーブルとか空中をいきかう信号でたがいにつながり合う集合体、と思えばいい。

ただし：コンピュータといってもノートパソコンやデスクトップだけじゃない。スマホもコンピュータだし、タブレットやゲーム機もそう。車にもコンピュータは使われている。

ネットとは、コンピュータの利用者に、情報を共有させてくれるシステムだ。

ネットのもっとも基本的なはたらきは次の2つ：

1. 自分の情報を、自分のデバイス（パソコンやスマホ、タブレット端末などの機器）から世界に向けて発信する。
2. 世界中の情報を、自分のデバイスで受け取る。

インターネットのしくみについて教えてくれるウェブサイトがネット上にあるよ。

総務省　安心してインターネットを使うために
　　　　国民のための情報セキュリティサイト
https://www.soumu.go.jp/main_sosiki/joho_tsusin/
security/basic/service/02.html

インターネットは、
何がそんなにあぶないの？

　自分のスマホやタブレットでネットにアクセスするとき、思っている以上の時間が経ち、いろいろ見たりゲームをしたりしてお金を使いすぎたり、思いもよらない危険なコンピュータウイルスに感染したり、いやがらせのコメントをされたりすることがあるよ。

　ネット上で起こりうる危険なこと：

1.　**ネットいじめ：** ネット上で起こっている以外はリアルの世界のいじめと同じ。気持ちを傷つけられたり、怖い思いをするのもリアルの世界のいじめとまったく同じだけど、家に帰ってドアを閉めたら終わり、にはならない。

ネットいじめ対策については、あとの章で詳しく紹介するよ。

へへ、
ネット荒らしで
いやがらせするの
最高！

2. ネット荒らし： ネット上で無差別にいやがらせの投稿をしておもしろがる悪趣味な人がいる。そういう人はネット荒らしとよばれ、みんなに迷惑をかける困った人だ。ふつうの人づきあいができない人かもしれない。

もし、そういう人と関わってしまったらどうすればよいか、知っておくことが大事だよ（このこともあとで詳しく取り上げるよ）。

3. なりすまし： もしパスワードを盗まれると、私たちのふりをした誰かが勝手に投稿する「なりすまし」が起きることがある。そうなると、秘密にしておきたい話をばらされたり、自分が言わないような真偽不明のコメントやウソの発言を勝手にされたりしてすごく困る。友だちどうしでも、けんかの腹いせに、カッとなってなりすましをされてしまう場合もある。

4. **有害な投稿や画像**：ネット上でトラブルになる投稿をする人がいる。人に危害を加えるように仕向ける暴力的な画像や巧妙な呼びかけなど悪意のある書きこみ、未成年者に対してふさわしくない画像や動画を投稿する人たちだ。こういうものに出くわさないためにどうしたらよいかは、8章、9章で取り上げる。

5. **コンピュータウイルス**：コンピュータウイルスは、私たちのコンピュータに「感染」し、そのはたらきを乱すように設計されたプログラムだ。スマホやタブレット、パソコンがまともに動かなくなったり、買い替えなければならなくなったりするだけでなく、保存しておいた写真や連絡先などのデータが消えてしまうこともある。銀行の口座やクレジットカードの番号など大事な情報を盗まれることもあり、いいことはひとつもない。

> おまえたちのデータをみんな食ってやるぞ、フッフッフッ！

6. 犯罪に利用する人：残念で悲しいことに、ネットを盗みやもっとひどい犯罪に悪用する人がいる。ハッカーなどだ。ハッカーは一般の人よりもコンピュータや電気回路の技術的知識が豊富で、本来はシステムやネットの技術的な問題をクリアする人たちのこと。だが、他人のコンピュータに不正アクセスしたり、ウイルスで破壊行為を行う場合もある。

ハッカーは悪い人ばかりではないけれど

　ハッカーはみな犯罪者とはかぎらない。他人のコンピュータに忍びこめるかどうか、自分の腕を試したい——ただ挑戦したいだけ、という人もいる。会社や政府が公表したがらない情報をハッカーのテクニックを使って見つけだし、世間に知らせる人もいる（それがいいか悪いか、意見の分かれるところだ）。

　そもそも、ハッカーの本来の意味には「プログラム可能なシステムの奥深くて細かな部分を探ったり、プログラミングを楽しむ人」などがある。

安心して使うために知っておきたいこと

　ネットでつながることには危険もあると理くつではわかっていても、なんとなく自分はだいじょうぶという根拠のない安心感をもってしまいがちだ。だってスマホは自分のポケットに入るし、とてもプライベートなものだからね。

　でも、一度ネットにつながれば、ポケットの中に世界に向けて開いたドアがついたようなもの。

　そのドアを見張り、安心を保つためにすぐ試せる方法を紹介しよう。

わかりにくいパスワードを考える

　ハッカーなど他人のアカウントを盗もうとする人を防ぐには、かんたんに見破られないパスワードを使うことだ。

　名前や生年月日などすぐ予想がつくようなパスワードは、ばれるリスクが高い。アルファベットの大文字や小文字、数字、記号をでたらめに並べるような難解なものが理想的だ。

　ただ、安全なパスワードにすると、とても覚えにくくなるのは困りものだ。

　自分のアカウントのパスワードを忘れてしまっては大変。でもそういう人のために、パスワード・マネージャーのサイトを使うという方法があるよ。自分用のパスワードを考え、記憶してくれるコンピュータ・プログラムだ。どんなサイトでも100パーセント安全とはいえないけれど、パスワード管理のサイトは、たいていのサイトより安全性は高い。

 これも注意：パスワードを入力するときは、ぜったい誰にものぞかれないように。

自分専用のシークレット・コード

　パスワード管理のサイトを使いたくない人は、パスワードを作りだす方法を考えてみよう。他人には思いつきにくく、自分はすぐ思いだせるパスワードが作れるよ。たとえば、

- 自分の使うウェブサイトやアプリの最初の文字をとって、大文字にする。

- 自分の誕生日の数字を全部足す。

- パスワードにあまり使われない記号をひとつ付け加える。

- 自分の使うウェブサイトやアプリの最初の3文字を逆から書き、小文字にしてつけ足す。

　つまり、自分だけのひみつのコード（暗号）を考えだすのだ。ただし、パスワードを書き留めるのはなし。メモやノートはすぐにどこかへ行ってしまうからね。パスワードをいろいろなサービスで使いまわさないことも大事だ。もし誰かに見やぶられたとき、被害が大きくなるよ。

それでも不安な人は

　メールアドレスや SNS などのアカウントを作ったり会員登録するとき、「２段階認証」を利用するともっと安心だ。これは自分がふだん使うデバイス以外からログインするとき……たとえば友だちのスマホやパソコンから接続するときに、認証がひとつよけいに必要になるというもの。自分のスマホに届いた数字を入力しないと、つながらないようになる。

　そういう設定をしたいときは、ウェブサイトやアプリのヘルプページを開き、「２段階認証」と入力するとやり方がわかるよ。

コンピュータウイルス対策も

　スマホでもタブレットでもパソコンでも、とにかくネットにつなぐコンピュータには、フィルタリングアプリやウイルス対策ソフトをダウンロードして入れることが重要だ。有料のことが多いので親などの保護者に相談しよう。

　ウイルス対策ソフトを入れるのと同じくらい大事なことは、何でもかんでもすぐにダウンロード

しない、ということ。映像でも
画像でも音楽でも、メールに
貼ってあるリンク先をクリック
するだけで、ウイルスにやられ
ることもあるよ。

どちらも大事、バックアップとアップデート

　自分のスマホやパソコンにトラブルが起きたとき
のことを考え、写真や学校の課題などのファイル
を安全に保管するためバックアップ（コピー）を
作成するのが大事。iPhone だと「iCloud」など、
「クラウドコンピューティング」（利用者のほかの
コンピュータと保管場所を共有するサービス）を
利用するか、自分のデバイスに外付けのハードディ
スク装置を取りつければ保管できる。それからも
うひとつ、自分のスマホやコンピュータで使うセ
キュリティの更新プログラムが届いたら、まめに
ダウンロードしておくことも大切だよ。

 セキュリティ・プログラムは更新されるたびにダウンロードしておくこと。ウイルス対策ソフトに加え感染をいっそう防ぎやすくなる。

安全に使うためのQ&A

1. インターネットを接続しているときに考えられる危険な
   ことは？
   a) 虫垂炎になる
   b) ネットいじめにあう
   c) サイバーマンにあう
   d) アヒルの攻撃にあう

2. どんなパスワードが安心？
   a) 自分の誕生日
   b) 自分の名前
   c) アルファベットの大文字や小文字、記号、数字
      のでたらめな組み合わせ
   d) 「パスワード」という言葉

3. 自分のデバイスのバックアップをとったり更新をす
   るのは何のため？
   a) コンピュータがこわれたときに写真などの
      大事なファイルをなくさないため
   b) バッテリーを長持ちさせるため
   c) さびるのを防ぐため
   d) やること自体が楽しいから

4. ネット荒らし（インターネット・トロル）って何？
   a) 童話に出てくるオバケ
   b) インターネットでいやがらせの投稿をする人
   c) 魚の一種
   d) インテリアショップで売ってるスウェーデン製の組み立て式家具の部品

5. 2段階（2ステップ）認証とは？
   a) 18世紀にはやった2ステップで踊るダンス
   b) ハッカーが、政府のコンピュータに侵入するために使うもの
   c) 未成年の若者が、クラブに入るためのニセIDカード
   d) 自分のアカウントをより安全に守るログイン方法

6. 知らない人から賞金が当たったというメールを受け取ったが、そんなときどうする？
   a) そのメールを削除する、たぶん迷惑メールだから
   b) すぐ返信し、銀行の口座番号を教える
   c) 友だちみんなにそのメールを転送する
   d) メールに貼ってあるリンクをクリックしアクセスする。これでお金がもらえる！

こたえは、
1＝b、2＝c、3＝a、4＝b、5＝d、6＝a
ひとつでもまちがっていた人は、
この章をもういちど、よく読もう。

ここまで、ネットを使うときはどんな注意や安全対策が必要かということを読んできて、ネットは怖いと感じてしまった人へ。ここではネットにまつわるいい話をしよう。この「インターネット♪大好き」のページは各章の後ろに掲載するよ。

インターネット♪大好き　その1
ネットは、無料(ただ)、なんだ

スマホの使用料など、ネットに接続するデバイスにはお金がかかるけれど、ネットを利用することにはそもそもお金はかからない。

WWW＊（ワールドワイドウェブ、世界に広がるクモの巣の意味）を発明したイギリス人のティム・バーナーズ=リー氏は、もともと、科学者が実験で得た情報を共有できるようにこのシステムを開発した。ティムはこの発明でお金もうけする気はなかったので、これは世界中の人たちへ、彼からのプレゼントとなったんだ。

すべての人へ、ティムより愛をこめて××

ウェブ

＊WWWは、ウェブサイトへのアクセスを可能にする情報検索システムのひとつ。

第2章
友情とソーシャルメディア

　SNSなどのソーシャルメディアを使うと、自分のことを公開しすぎてしまい、あとで後悔することがある。この章では、どんな情報を誰に公開したらよいかを考えていこう。

　よく「リアル」と「ネット」は違う、という人がいる。でもネット上で悪口をいわれれば、面と向かっていわれたのと同じか、それ以上に傷つくし、ネットを通しても親切でやさしい人には温かみを感じ、友だちのありがたさを感じるよね。

　だから、ネットやSNS上に投稿する文面や写真はとても重要。よくも悪くも、自分の生活にも友だちやほかの人の生活にも大きな影響を与えるよ。

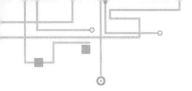

ソーシャルメディアって何？

写真や動画、メッセージを投稿して友だち（や知らない人たち）と共有するときに使うウェブサイトやアプリは、ソーシャルメディアとかソーシャル・ネットワーキング・サービス（SNS）といわれる。Facebook（フェイスブック）、Instagram（インスタグラム）などがそうだし、LINE（ライン）、WhatsApp（ワッツアップ）、Twitter（ツイッター）も含まれる。チャット機能のあるオンラインゲームもソーシャルメディアのひとつだ。

ヒミツの名前を考える

メッセージの投稿を公開するウェブサイトでは、そこに集まる人たちすべてと「友だちづきあい」するわけではないから、本名を使ったり、住所や誕生日など個人情報を書きこんではいけないよ（もし年齢を書く必要があるサイトなら、生まれた年と月は書いても日にちは書かないように）。

そういうサイトでは、参加するためのハンドルネームがいるね。自分のことを明かさずに、自分らしい名前を使いたいなら、たとえばこういうのはどう？

セーラー・ポッター・ムーンが
いいかな？アヴェリン・チーズスナックス
とか？ それともコチョウ・ラン？

- 好きな本やマンガのキャラクターの
  名前。
- 自分が楽しむためのまったくの造語。
- オンラインゲームのキャラクターの名前。
- 友だちどうしで通じるジョークをもと
  にした名前。

誰に、何を、見せる？

SNSでは、自分の投稿を「閲覧は友人のみ」など、誰に公開するかを選んで設定することができる。心配なときは、自分の個人情報の設定をいちばん厳しくしておくと安心だ。

でも、そういう手続きはわかりにくいこともある。自分の使うサイトやアプリの問い合わせページを見たり、グーグルなどの検索エンジンからそのサイトの「個人情報を守る設定のやり方」を検索して調べるといい。

ただ、ひとつ覚えておきたいのは、友だちが自分ほど個人情報を厳しく管理しているとは限らないということ。たとえ自分の設定を厳しくしていても、誰かのプロフィールやウォールやタイムライン（Facebook や Twitter でユーザーが投稿できるページのこと）にコメントすると、相手の設定によっては、自分の投稿が多くの人にまる見えの全体公開になるかもしれない。

個人情報を守るコツ
SNS などのソーシャルメディア上の個人情報の設定は、そのまま使うとあまり安全とはいえない。というのもデフォルト（自動的に設定される初期設定）状態のときの投稿は、たいてい公開されているからね。

これは特に投稿しないように

　SNS などのソーシャルメディア上には、決して書きこんではいけないことがある。当たり前と思うかもしれないけれど、念のため挙げるよ。自分の電話番号、住所、銀行の口座番号、家の鍵の置き場所などだ。

ただし、はっきりダメとは判断しづらい情報もある。たとえば、「今日は○○校とのサッカーの試合に勝った」などといった投稿。そのつもりはなくても、実は自分の学校や家の住所のヒントを公開することになるからだ。

試合に勝った帰り道だよ。5分で家に着く距離だから助かるな。くたくたなんだ

こういう投稿はできれば避けたい。誰かがその気になれば、きみのよく通る道や曜日ごとにどこへ行くかなどの情報を入れた「地図」を、かんたんに作れるよ。その地図をもとに国際的な犯罪組織に誘拐される、なんてことは起きないにしても、用心するに越したことはない。自分の位置情報がわかる投稿はしないようにしよう。

位置情報はもれやすい

　家や学校の写真を投稿するときは、家の住所やよく行く場所など生活圏の情報を知らせないようによくよく気をつけよう。また投稿するサイトやアプリが自動的に位置情報を付け加えたりしていないかも再確認しよう。

個人情報を守るコツ

スマホの設定をするとき「位置検索」サービスを切っておけば、自分のいる場所がもれることはない。スマホで使うアプリひとつひとつについても、その設定をしておくべきだよ。

本当の友だちに限る

　サイトで友だち承認をするときは、実際にリアルで知っている人からのリクエストだけを許可しよう。友だちの友だちは要注意（友だちはその人をよく知らないかもしれない）。友だちのリストに加えるということは、その人はきみの写真や投稿を

見られるということだ。その人を自分の家に招いて部屋の中を見せるのとちょっと似ている。断るのは失礼かもという心配はいらないよ。知らない人から友だち申請のリクエストがきても、それはやり過ごして身の安全を守ろう。

量より質を大切に

　インスタ（Instagram）やTwitterでは、自分よりまわりのみんなのほうが友だち登録やフォロワーが多いのではと感じてしまうことがある。でももし100万人とつながっていたとしても実際に話すのはそのうち10人なら、意味がないよね。何かを共有したいと本当に思える人を思い浮かべて、そういう存在を増やすようにしよう。SNSで多くの人とつながりを持ちすぎると、交流も義務のようになってしまい、楽しくないよ。

ほんとに公開したいことか？

　投稿したとたん（数週間後か、数年後かもしれないけれど）後悔する、というのはありがちなことだ。だから投稿する前に、手を止めて考えよう。

　たとえば……

- もし家族／遠方のおじいちゃん、おばあちゃん／親友／大嫌いなヤツに、この投稿を見られても平気かどうか（ネット上の情報は、思っている以上に遠くまで広がるもの）。

- もし誰かについて書きこみするなら、その人に直接言える内容かどうか（理由は上と同じ）。

- もし将来、自分が有名人になり、過去の投稿がニュースに取り上げられたらどうか？

- きみは投稿した内容をいつまでも心配する人かな？だとしたら、この内容で心配が続いてもいいかどうか。

首相、小さいころにクレヨンを食べたそうですね、何かコメントを。

子どものときのあんな写真、投稿しなきゃよかった。

ニセ科学とウソ

　SNSのサイトでは、他の人が書いた投稿をたいていシェア（いいね！、リツイートなど）することができる。誰かが思ったことを投稿すると、みんなで共有できるのはすてきだ。

　でも、そうとばかりいえないこともある――たとえば、もし共有した投稿が「事実」としてまかり通っているウソだったり、誰かのくだらないうわさ話だったりしたらどうだろう（トイレットペーパーが買えなくなる話とかね）。世の中を少しでもよくするために、こういういい加減なコメントをうかつに共有しないようにしたい。

知ってた？
両手にレモン汁をこすりつけると、ウイルスが消滅する！

ネット上には、病気が治るとうたった真偽不明の対処法が山ほど出てくる。ニセ科学を広めると世の中がいっそう混乱するし、本当に困っている人たちに迷惑をかけることにもなる。

大げさに書いているかも

　友だちと LINE や、Instagram や Twitter の DM（ダイレクトメッセージ）でやりとりするのは楽しい時間だね。でも、たとえ親友とのやりとりでも覚えておきたい大事なこと、それを忘れるとコミュニケーションが苦痛になることもあるよ、それは……、

「どんな人でも、SNSやネット上に投稿するとおりに、幸せだったり、人気者だったり、充実したりするわけではない、ということ。」

あーあ、あたし今日はくたくた、だってさ、きのうの夜は部活の打ち上げですっごく盛り上がったの、集まろうってしょっちゅういわれてもうタイヘン

　ネット上では、たとえリアルな生活の不満をいうときも、なんとなくかっこよく見せるような書き方をしてしまいがち。かわいく盛って撮れた写真だけを投稿するし、行くことになっている打ち上げなどの楽しそうなイベントを話題にする……文句をいっているようで、実は自慢しているのかもしれない。

だから、変にいらいらしないように、みんなが
いつも事実をありのままに書くとは限らない、と
思っておこう。もし気分が落ちこむような
写真——たとえば声を掛けられなかった集
まりやイベントの写真などを見せられ
ても、写真は事実をすべて語るわけ
ではないと考えるといいよ。

ホントはたいくつしてて、家にいればよかったと思っている

親と大ゲンカして、今夜以降、外出禁止といわれている

まわりが引くような空気を読まない発言をしてしまい、頭がまっしろになっている

ときどき、SNSからはなれよう

　SNSにはほかにも困った点がある。それは、自分
が今していることを知らせるのに時間をとられ、そ
の瞬間をじゅうぶん楽しめないこと。時にはスマホ
を置いて、自分は今何してる？　なんて考えたり実
況中継したりせず、ただリアルを楽しむといい。

ちょっと考えてみよう

　無料のソーシャルメディアを使うときは、その
サイトを運営する会社はどんなもうけをあてにし
ているのかを、考えてみよう。サービスが無料と
いうことは、商品はおそらく「私たち」だ。つま
りその会社は、私たちの情報を売ったり、大量の
広告を送りつけることが目的かもしれない。

インターネットには、
犬が参加してもわからない

　犬がパソコンの横にすわった、こんな見出しのつ
いたマンガが以前あった。「ネットなら、きみが犬
だってわかりゃしない」

　犬どうしのオンラインサービスなんてあり得ない
けれど、ネット上では実際と違う人物のふりをす
ることはできる。

　ロールプレイ（役割を演じる）そのものを楽しむ
場合もあるよね。オンラインゲームでは、ひとり
ひとりがエルフ（妖精）やロボット、兵士など、
自分が選んだキャラクターを演じたりするよ。

　けれども、世の中には人をだますためにニセの個
人情報を作って悪用する人がいる。ネットいじめ
をする人、子どもに近づきたい悪い大人がよく使
う手だ。

　そういう大人は、ネット上で子どもや 10 代の学
生になりすまして、相手の個人情報を盗みだすチャ
ンスを増やそうとする（こういう悪い大人からど
うやって身を守るかについては、9 章で紹介する
よ）。

ニセ情報にだまされない、いちばんよいやり方は
シンプルだけれど、これ。

何があっても、ネットやSNS上に
自分の個人情報は出さないこと!!

たとえ信頼している友だちと話すだけだと思って
も、住所や電話番号をネットや SNS 上に書きこむ
ことはおすすめしないよ。

実際に会うのはやめよう

ネットで知り合った人のなかには、リアルの世界
で実際に会おうとする人がいる。これはとてもあ
ぶない。もし誰かにそういわれていたら、保護者
に相談しよう。

信頼できる大人につき合ってもらい、人目につく
場所で会うのであれば、だいじょうぶかもしれな
い。でも、会おうといわれたら、断るほうがいい。

交信をやめ、報告する

　もしソーシャルメディアのサイトやSNS上での
やりとり中に、へんなコメントやメッセージを送っ
てきたり、しつこく関わってくる人に会ったら、
その人とのやりとりをやめ、そのサイトやアプリ
の管理者に報告することをおすすめする。まわり
の信頼できる大人にも伝えたほうがいい。もし話
しやすい大人がまわりにいなければ、相談できる
ウェブサイトやヘルプラインでアドバイスをもら
おう。

　（5章では、ネット荒らしやネットいじめの対処法に
ついて詳しく取り上げるよ。9章では、ネット上で遭遇
するかもしれないたちの悪い大人について説明するよ）

SNSを楽しく安全に使う10のコツ

1.
パスワードは誰にも教えない、友だちにも。

2.
サイトの年齢制限にひっかかるなら、登録はしない。

3.
ふだん使わないデバイスでログインしたままにしておかない。

4.
投稿する内容については、しっかり考える。

5.
不安や心配なことがあったら、信頼できる大人に相談する。

6. 自分の個人情報の設定を定期的にチェックする。サイトによっては、知らないうちに設定が自動的に変わることがある。

7. 知らない人と話すことがあるサイトでは、本名を使わない。

8. 知らない人はもちろん、友だちの友だち（から）でも友だち申請を承認しない。

9. 自分の位置情報を公開したり場所が特定されそうな書きこみは絶対にしない。

10. 電話番号、住所などの個人情報は決して公開しない。

インターネットで、世界をよくするお手伝い

いちども会ったことのない人とネット上でつながることで、
すばらしい活動が広がることがある。

あるイギリスの女性は、寄付金集めのサイトで呼びか
けて30万ポンド（約4000万円）以上の
お金を集め、強盗に襲われたある年
金生活者の新居のための資金を援助
した。それまで住んでいた家には恐
ろしくてもどれなかったためだ。

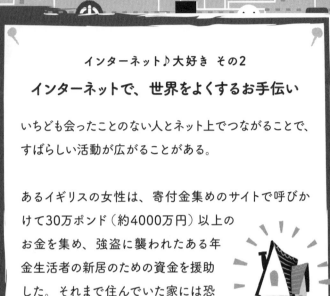

このように、SNSなどのソーシャルメディア
を使って人の役に立ったり、暮らしをより便利にしたり
することができるよ。たとえば、迷い犬の写真を投稿し
て、犬を見つけた人が飼い主に知らせるようにしたり、
地元の図書館存続キャンペーンに参加するなど、
いろいろな利用のしかたを考えてみよう。

第3章 インターネットの マナー

ネットを利用する人の中には、人に迷惑をかける人がたくさんいる。他人のアイディアを盗み自分の成果として公表する人や、人種差別、性差別的な考えを押しつけてくる人など、いずれにしてもあまりつき合いたくない人たちだ。ささいなことかもしれないけれど、ネット上のマナーをわきまえない失礼な人もいる。

実社会で良識をもって暮らす人なら、ネット上でも同じように良心的な人間であるはず。それなのに、LINE や Instagram のアイコンやイラストのアバターやハンドルネームに向かって文字入力していると、相手は感情のある生身の人間だということをつい忘れがちだ。

アイコンやアバターの向こうには生身の人がいるよ

ショック！

ごめん！
つい忘れて
いたよ……

39

おたがいに気持ちよく！ ネットのマナー10

　ネットには、法律違反は別として、どういう利用が望ましいかという守るべきルールみたいなものはない。サイトによっては独自のルールを設けているけれど、ネット全体を管理する人はいない。

　ここに書いたのは、ネット上で人とうまく付き合うための提案だ。誰でも自分がされたらいやだなと思うことがあるのでは？　そう思ったときは「ネットで気をつけること」リストに入れておこう。

顔を見てリアルで直接いえることかどうか？

　ネットに書きこんでいい内容かどうかを見きわめるよいやり方は、その人にリアルで直接それをいえるかどうかだ。話す相手（の目）を見られないと思ったら、いいすぎだし、ふだん口にするよりひどいことをいっているかもしれない。

相手への思いやりは、ネット上でも忘れないようにしよう。

①個人的に責めない

　批判をしたり議論をしたりするのはかまわない、でも個人攻撃はさけよう。発言を批判するのと、その人を非難したり悪口をいうのとは違うよ。

 きみのいったことには賛成できないな

 おまえ、バカっぽい顔してるし、絵がヘタすぎだろ

　もし誰かが投稿した写真とか描いた絵とかの感想をコメントするなら、言葉をよく選ぼう。

　思ったことを率直にいってとリクエストされるかもしれないけれど、人は意外と傷つきやすいものだ。しかも、リアルではなくネットやSNS上だと、よけいにショックが大きい。あまりピンとこないと思っても、そのままいうのではなく、よい点も見つけてあげよう。

いい色
使ってる
ね！

絵は
ビミョウ
だけど……

②集団攻撃には加わらない

　もし誰かが大ぜいの人からいっせいに批判されていたら——たとえば、AくんにコメントしたBさんの失礼な発言に対してとか——そういうとき、Bさんに宛ててみるみる増えていく攻撃的な書きこみに軽い気持ちで加わってはいけないよ。

　もし自分が大ぜいの人からいっせいに批判されたら、どんな気持ちがするだろう。自分を責めたり怒りをぶつけてくるような書きこみばかりでなくても、何十人ものコメントを読めば、落ちこまないほうがふしぎだ。

始まりはちょっとしたコメントひとつからだよ、こんな悪ふざけ、やめようよ。

③まずいことをいってしまったら

　たとえ悪気はなくてもたまにうっかりと失礼な投稿をしてしまうことがあるよね。そういうときはすぐにあやまり、できればそのコメントを削除しよう（それができるサイトばかりとは限らない。だから必ず謝ろう。できれば直接がベスト）。

④声のトーンを上げすぎない

　ネット上に書きこむとき、大きな文字や！マークばかりを使うと大声で叫んでいるように見える。「わー！なんてかわいい子犬なの！」くらいなら、どうってことはない。けれど、書きかたによっては、読んだ人が意見を押しつけられているように感じる場合がある。

⑤話題にそって話そう

　迷惑になる投稿、宣伝目的の投稿はしないようにしよう。つまり、話題からそれた書きこみをしたり、同じ内容の投稿をくりかえし送ったりすることだ。読む人をうんざりさせる投稿ばかりしていると、ブロックされたり、友だち承認を解除されたり、

グループトークの場合は退出させられてしまうかもしれないよ。

　要するに、誰かが出した話題で盛り上がっているときに、わりこんで話題を変えてはいけないよ、ということ。

⑥許可をとろう

　友だちのヘン顔など、笑える写真を持ってる？もしSNS上に投稿するつもりなら、してもいいかどうかその友だちに確認して許可をもらってからだよ。ほかの人のことを書くときは、まずその人に許可をとろう。大人だって同じ。だからもし親が子どもの写真をSNS上で投稿したければ、本来、親はその子の許可を取るべきなんだ。

@goofyparents
わがいとしの息子、1歳

⑦「ネタバレ注意」とは

　特定の話題について読みたくない人や、詳しい内容を知りたくない人もいる。たとえば、テレビの新番組のことを投稿するなら、中身にふれる前の最初の段階で「ネタバレ注意」と記しておくほうが親切だ（「ネタバレ」とは、その内容をまるごと楽しもうと思っている人に、その一部をばらしてしまうこと）。

⑧閲覧注意の警告を知っている？
トリガー・ウォーニング

「閲覧注意」の警告は、扱う話題が深刻なとき、たとえば暴力事件や事故などセンセーショナルな画像や内容などを掲載しているときに使われる。こう書いておくことで、たまたま記事を読んだ人がショックを受けてしまうというリスクを減らせる。

「トリガー」とは引き金（を引く）という意味で、投稿を読んだ人が撃たれたような強い衝撃を感じ、心の痛みや精神的ダメージを受けるところからきている。こういう警告を出しておくと、そういう記事を読みたくない人がネットを使うときに安心だし、もし見かけたら、気分が悪くなるかもしれない記事を読むかどうかを事前に決められて、さけることができる。

⑨反応しないのも大事

もし誰かが心ない内容の投稿をしたり不愉快なコメントをしたときは、放っておこう。「ひどいことをいうね」とでも反応しようものなら、書いた人は注目されたと思うかもしれない。それに、そういう投稿を読みたくない人の目に入るリスクも増やすからね。

送信キーを押す前に再チェック
投稿やコメントをする前に考える習慣をつけよう。
インターネット上にアップしようとしている内容を、
よくよく読み直すといい。
この記事を本当に公開したいのか、自分自身に聞こう。

⑩最後にもうひとつ

　……実生活でまわりの人への気づかいを忘れない
こと。ネットにばかりかまけているとある意味ラク
かもしれないけれど、メールを打ちながら店の支払
いをしたり、最新情報のチェック
に忙しくて家族や友だちとの大切
な時間やイベントをないがしろに
したりしたら、だめだよ。

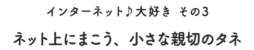

インターネット♪大好き その3

ネット上にまこう、小さな親切のタネ

ネットを通して、私たちは誰かを笑顔にすることができるよ、たとえ会ったことがない人でもね。ネット上に自分らしいやり方で親切なひとことを書いてみよう。

これから1週間、ネットに投稿をするときは、何かひとつ人に対して優しいことや親切な内容のことを書いてごらん（そんなことはもう実行ずみかな、でも意識してやると自分もいい気持ちになれる）。
コメントしてくれた人にひとことお礼のコメント返しをするとか、誰かをほめるとか、ちょっとしたことでいいんだよ。

第4章
気になる？
インターネット上の自分の評判

　Google（グーグル）などの検索エンジンに、自分の名前を入力してみたことはある？

「佐藤翔」のようなよくありそうな名前だと、ほかの佐藤さんのことがたくさん出てくるかもしれないね。

　でも自分に関する情報もいろいろと見つかるかもしれないよ。ブログへの書きこみや投稿した写真、もしかしたら学校新聞向けに書いた記事まで。

　自分がネット上に投稿したこと（と、ほかの人がきみについて書いたこと）で、ネット上の評価は決まる。悪い評判をたてられないためにも、投稿には注意が必要なんだ。

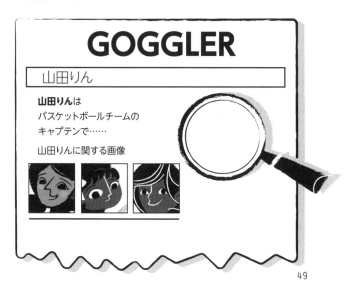

GOGGLER

山田りん

山田りんは
バスケットボールチームの
キャプテンで……

山田りんに関する画像

投稿を取り消したいときは？

　もし自分が見せたくない写真や動画、取り消したい発言をまちがえて投稿してしまいネット上に出てしまったら、人目についてもよい投稿をアップすることで、見せたくないものを目立たなくすることはできる。LINE の場合は送信取消することができるし、Instagram などでは投稿を編集や削除することができる。

　また、自分が過去に投稿した個人情報や、つい悪口を書いてしまって後悔していたり、誰かが自分についてでたらめの投稿をしたり、悪評記事やいやがらせのコメントをしていたら、専門家に削除依頼する方法もあるよ。

デジタル・フットプリントって何？

　私たちは、ネット上のあちこちのサイトや SNSに投稿したり、いろいろなホームページを見にいったりするよね。どのサイトでも、書きこんだことはすべて「デジタル・フットプリント（ネットを利用したときに残る記録の総称）」として記録が残るって知ってた？

まるで自分史（パーソナルヒストリー）を少しず
つ、とりとめなく書いているみたいだ。

今のあやまちが将来に影響しないように

　大人になって就職するとき、会社などの雇用する
側はもしかしたらきみの名前をネットで検索し、
投稿した内容を読むことできみの人柄を判断して
雇うのをやめるかもしれない。

　また友だちや先生、親などの保護者に、読んでほ
しくない自分の書きこみを見られてしまうことが
あるかもしれない。ネット
上は、なんでも吐き出せる
個人的な空間だと思いが
ちだけれど、実はぜんぜん
違う。ある犯罪者が自分が
犯した罪をネット上で自
慢したために、捕まってし
まったことだってあるん
だよ。

インターネットの空間を居心地よく

　ネットで前向きな評価がつくように心がけると良い点は、失言を防げるだけではない。プラス志向の投稿を試してごらん——楽しい気分になる写真とか、友だちに対する励ましの言葉とか、本や映画の感想とか。そういう投稿を続けるほど、自分が以前やってしまったネット上の古いミスをいちいち気にする人は減るよ。

人の評判に口出しするのはおかしい

　ここでちょっと、ほかの人の評価のことを考えてみよう。もしきみが誰かを傷つける発言やウソのうわさ話や悪口を書いたり、その人が他の人に見せたくない写真を勝手に投稿したりすると、その人のネット上の評判はきみの発言のせいで自分ではどうすることもできないほどガタガタに落ちてしまう。きみがほかの人の評判に口出ししたり評価を決めるのはおかしい話だし、不公平だよね。

使うサイトを整理しよう

　もし、あるソーシャルメディア上のサイトを今後はもう使わないと決めたら、自分のプロフィールを取り下げ、できるだけ自分の情報をかくそう。そのサイトが今のきみらしくない、たとえば小さなころに保護者と利用していた子どもっぽいサイトだったら、誰かにその話をされるたびに、いい気持ちがしないよね。

たとえば、小さな子どものころに使った
アカウントは閉じてしまいたいかも。

分身の評判にも気をくばろう

　ハンドルネームで投稿するサイトや SNS アカウントでも、人からの評判はもちろん大切だ。もしそのプロフィールがよい評判であれば、きみはそのサイトや SNS 上で楽しい時間を過ごせるだろうし、ネットの世界でもみんなから歓迎されて仲良く平和に交流できる。

　もし誰かがリアルなきみと、そのプロフィールのあいだにリンクをはってきみの正体をオープンにしたとしても、何もやましいことはないから、べつにあわてることはないよね。

わたし、かくすようなことないもの

自慢より共有を心がけよう

　もし投稿が自分のことばかりで自慢に受けとられる写真や話題ばかりだったら、自分中心で自己アピールが強い人と思われ、まわりを疲れさせる。自慢するよりも、いろいろな人の役立つ情報を共有したり、見たり読んだりする人が楽しくなったり癒やされたり気分が良くなるような話題を提供すれば、ずっとよい評価がもらえるよ。

沈黙は金なり、だよ

　ネット上の評判を下げずにキープするよい方法のひとつは、いっさい何もコメントしないことを徹底すること。投稿された写真1枚、1枚にコメントを書いたり、みんなでわいわい盛り上がっている話題をいちいちフォローする必要はないよ。ネットというドラマの舞台からたまには下りるのもいい。かっこよく見えるだけでなく、ストレスからずいぶん解放される。

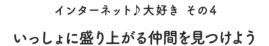

インターネット♪大好き　その4

いっしょに盛り上がる仲間を見つけよう

実は自分の趣味がオタクっぽいとか、友だちが思っている自分のイメージに合わないことが好きなんだけど、なかなか話が合う人が見つからないと思うことはないだろうか。ネットやSNS上では、同じ趣味をもつ人がきっと見つかるし、好きなだけ盛り上がることができるよ。

第5章 インターネットと SNS上のいじめ

　ネット上では、いつもいろいろなことが起きるし、バカにされたりからかわれている気がすることはありがちで、ささいなことかもしれない。でもネット上のトラブルというのは、時には大きく、深刻になり、深く傷ついたりネットいじめにつながることもある。

　もし自分がオンラインゲームの中や LINE や Instagram などの SNS 上や、メッセージでいじめを受けていると感じるなら、とてもつらいはず。でもひとりで悩まないで。いじめがいつ、誰に対して起こっても、それはよくないことだとみんなわかっている。ネットいじめについてよく理解し、なぜそういうことをする人たちがいるのか、自分はどうすればよいかを知れば、ネットいじめを乗り越えることができるよ。

とても大事なことをひとつ:
ネットいじめは、きみのせいじゃない!

ネットいじめって？

　いろいろなタイプがあり、どれもたちが悪い手口
だ。たとえば……

- ・ LINEやそのほかのSNSアプリのダイレクトメッセージ、
  ショートメッセージ（SMS）、電子メールなどを通して、
  悪口や傷つけたり脅すようなメッセージを送りつける。

- ・ 人に見られたくない恥をかかせるような動画を投稿する。

- ・ ソーシャルメディア上にニセのアカウントを作り、閲覧
  する人をからかったり、相手の個人情報を勝手に公開
  したりする。

- ・ ほかの人の個人情報や写真を無断で投稿したり、転
  送したりする。

- ・ オンラインゲームのサイトで、ほかのユーザーに悪意
  あるコメントをする。

- ・ 悪口やいやがらせなど悪意ある投稿をする人に便乗
  したり、ほかの人のプロフィール上に人種や性的指向、
  性別による差別的なコメントを書きこむ。

- ・ 性的な写真やいやらしいコメントを不必要に送りつける。

　せっかくの発明も、残念なことに人びとの幸せの
ためだけでなく、悪い目的でも使われており、ネッ
トいじめの悪質な手口は次々と増えている。
　きみもまわりの友だちも、左のページのような被
害やそれ以外の被害にもあうかもしれないが、も
し自分が不快と感じるいやがらせをされたら、放
置してはだめだよ。すぐに対策をとれば、ひどく
なるのを防げるかもしれないし、少なくとも今よ
りましな気持ちや状況になるはずだ。

自分を守るために

　ネットいじめにつながらないよう、自分を守るための実践的な方法をいくつか紹介するよ。

- 電話番号やLINEのアカウントを教えるのは本当に信頼できる相手、リアルの世界でよく知っている相手だけにする。

- ソーシャルメディアなどのサイトにログインしたままスマホやタブレット、ノートパソコンを置きっぱなしにしない。誰かがいたずらでそのアカウントを「借り」、きみになりすますかもしれないからね。

- パスワードは、たとえ親友でも共有しない。

- 自分が使うSNSやオンラインゲームのアカウントすべてで、個人情報の保護をいちばん厳しい設定にする。

きみのせいじゃないよ

　この本に限らず、ネットいじめについて書いてあることを読むときに忘れないでほしいのは、ネットいじめを受けるのはきみの責任じゃない、ということだ。悪いのはいじめをするほうだよ。残念ながら、安全対策をいろいろ試しても、100パーセントだいじょうぶという保証はないし、もし安全対策がうまく機能しない場合も、絶対にきみのせいではない。人は時々、悪いことをあえてやりたくなるらしいが、そういう行いや言動は、その人たちの責任だからね。

家の中まで追いかけてくるいじめ

　ネットいじめなんて、リアルの世界で起こる問題にくらべたらたいしたことじゃない、と考えて放っておく人がいるが、それは違う。ネットいじめは、ふつうのいじめ以上に深刻になることもあるんだ。というのも学校から帰ってドアをしめても終わりにならないから。スマホの電源を入れれば、そしてネットやSNSにログインする限り続くよ。

出ていけ！

ネットいじめのせいで起こること

　一度、ネット上で傷つけられる体験をすると、いやがらせの書きこみを見ないようにしても、不安はなくならない。自分の悪口ばかり書いてあるあの投稿やコメントを読んで信じる人がいるかな？　あの恥ずかしい写真を誰かに見られてしまう……どうにかして全部消してしまいたい、など、頭の中はそのことでいっぱいになってしまう。

心も体も嵐に襲われたように
休まらない

くたくたになった
脳みそ

まず、どうしたらいい……？

　もしネットいじめにあったら、まず、どうしたらよいだろう。もし起きていることがそんなに深刻ではなさそうなら、あまり心配しすぎないことだ。

でも、いじめは、どんなに小さくても、ネット上でもリアルでもしんどい思いをすることに変わりはないので、慎重に向き合うほうがいい。

いじめがたちの悪いものじゃないなら

　もし、今までふつうに付き合ってきた友だちからいやがらせをされたら、その人にメッセージを送るか直接リアルで話してごらん（メッセージだとまたこじれるかもしれないから、直接話し合うのがベスト）。その人はおもしろがって軽い気持ちで投稿したかもしれないけれど、きみにとってはぜんぜん笑えないことかもしれない。そんなときは、わけを話して投稿やコメントを消してもらおう。直接話すことはドキドキするかもしれないけれど、悩んでいるよりかんたんに解決するものだって意外とわかるかもしれないよ。

あいつが言ったってあの子が言ってたって、あの子が言ったってあいつが言ったってあの子が言ったって……

何かまずいことを言ったかな？

　もしかすると、いやがらせをしてきた人は、いつもは優しいけれど、きみの何らかのコメントが気にさわって、仕返しのつもりでいやがらせをしたのかもしれない。もし、こころあたりがあったら、あやまったほうがいい。でも、誰かが言いだしたうわさを信じて、かんちがいしている可能性もある。

そしたら、あの子が言ったってあいつが言ってたって、あいつが言ったってその子が言ったってあの子が言ったってあいつが言ってたって、あの子が言ったってあいつが言ったって……

それから、あの子が言ったって

　どちらにしても、直接会って話したほうがいい。どうしても難しい場合は、その人ときみの共通の友だちに、誤解が解けるように相談するのはどうだろう。

　万が一、きみの投稿がきっかけでその人を傷つけたのだとわかれば、問題の部分を削除し直

接リアルであやまろう。それからネット上でその相手に好意的な投稿をして、きみはその人への誠意といい友だちどうしであることを示せばいい。

もし覚えがないことなら

きみが何か気分を害するコメントや投稿をした覚えがないなら、ずっといい友だちどうしだったのに、どうしてそんなことをして傷つけるのか、理由をはっきり聞こう。誰がそんなことを言いだしたのかわからない、でも自分ではないと断言すればいい。そして、身に覚えのない言動に対するいやがらせの投稿やコメントは取り消してもらおう。

いつも言いがかりをつけてくる人なら

もしそのいやがらせが、今回が初めてではない人や、いじめとまではいえなくても前にもきみとネットやSNSでトラブルがあった人だったら、対策を練ったほうがいいね。話をするだけではきっと解決しないだろうから。

通りすがりのいじめ

　もしそのいやがらせがたった一度きりのことだったら、無視したほうがいい。言いがかりをつけるのは、たいてい人が困るのを見て楽しむ人たちだ。コメントに答えたり、反応して喜ばせてあげることはない。

　そういう人はたいくつしのぎに、ちょっかいをだしているだけかもしれない。そこらじゅうにいやがらせや悪口をばらまいているだけで、きみのことを特にねらったわけではないなら、適当に受け流すのがいちばん賢いやり方だ。

もしも続くなら？

　もしいやがらせがいつまでも続くなら、無視しても効果がない。もし誰かが悪意をもってきみにつきまとってくるなら、大人の助けがぜったいに必要になる。成人している兄姉とか、親などの保護者、クラブのコーチ、スクールカウンセラー、友だちの親など話しやすい大人を思いうかべてごらん。だけど、見当ちがいのことを言ったり、改善の方法を示せない大人がいるかも。それでも、自分に味方してくれる大人に悩みを聞いてもらうのは心強い。もしまわりに話せる大人がいないと思うなら、ネットを悪用した人権侵害の被害を防いだり相談する窓口に問い合わせてみよう。

内閣府大臣官房政府広報室による、インターネット人権相談窓口などを掲載したサイトがあるよ。

政府広報オンライン
インターネットを悪用した人権侵害に注意！
https://www.gov-online.go.jp/useful/
article/200808/3.html

ネットいじめにあったときの 具体策いろいろ

- 起きたことのログ（記録）はすべて取っておこう。何か起こるたびに、日付と時間、何があったか、どのように起きたかを書き、証拠になりそうなことはメモしておく。相手から届いた書きこみもすべて保存したり、スクショ（スクリーンショット）して画像として保存し、証拠として使えるようにしておく。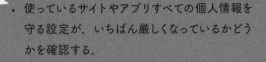

- いじめを始めた中心人物とその親しい友だちとはいっさいの連絡を絶つ（いじめは集団で起こることが多い）。もし状況が変われば再開すればいい。

- 使っているサイトやアプリすべての個人情報を守る設定が、いちばん厳しくなっているかどうかを確認する。

- ネット上でもメールでも、いじめのことにはふれないようにする。どんなことでもスクショされて相手に送られたりすると、状況はもっと悪くなるかもしれないから。

- 知らない番号からの電話には出ず、留守番電話サービスを使おう。いじめの相手がもしメッセージをのこせば、それも証拠になる。

- 電話回線の種類にもよるが、いじめの相手の電話番号（友だちの番号も含めて）からかかってきても、つながらないように設定を変えられる。そういうことができるアプリもある。

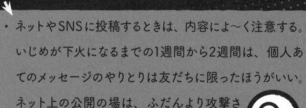

- ネットやSNSに投稿するときは、内容によ〜く注意する。いじめが下火になるまでの1週間から2週間は、個人あてのメッセージのやりとりは友だちに限ったほうがいい。ネット上の公開の場は、ふだんより攻撃されやすいからね。

- もしいじめの相手がきみを傷つけるとか、それ以上のことをすると脅してくるなら、すぐ警察に届けよう。脅迫行為はどこの国でもたいてい犯罪となる。

まったく知らない人からいじめを受けたとき

　ネットいじめは、学校内や、知り合いどうしの間だけで起こるトラブルではない。他人を標的にするいじめもあり、ネット荒らしともいう。対処法としては、相手との交流を絶ち、サイトの管理者に報告すること。「ネット荒らしの相手をするな」といわれるように、反応しなければ、相手は飽きる。

　彼らがどんな人たちか、そのコメントを見なくてもわかるときがある。もしハンドルネームやアカウントが人種差別や性差別、同性愛差別などをにおわせたり誰かの悪口になっているような名前なら、最初からブロックしておこう。

オレは
モテないから
あいつがきらいだ
大っきらいだ！

@ I_HATE_GURLS

＊GURLとは、girlの俗語的表現。
　女性的な男性や、女の子を意味する。

他人の身元をあばく人たち

　ネット荒らしの中には「特定班」とよばれる人が
いる。他人が投稿したコメントや写真などの断片的
な情報から、その発信者の本名や住所、学校や勤務
先まで個人情報を特定しネット上で勝手に拡散する
人たちのことだ。それを見た人たちが家に押しかけ
てきたり、迷惑電話をかけてくるなど、さらし者に
されたほうは非常に困る。

　ネット上に個人情報を出さなければ、こんなこと
は起こらないだろう。でももし起きてしまったら、
信頼できるまわりの大人にすぐ伝え、対策をとって
もらおう。携帯電話の番号が公開されてしまったら、
番号は変えたほうがよいだろう。

「さらし」といわれるこういう行為
は国によっては違法となる。もし
自分の身に起きたら警察に届けて
対処してもらうことも考えて。そして、
もちろん、きみはこんなことを決し
てやってはいけない！

オンラインゲーム上のいじめ

　オンラインゲームは楽しくてつい夢中になるね。でも、もしゲームの世界で邪魔してくる人がいたらどうだろう。たとえばビルディング・ゲームで、誰かが作った建物を壊して、いやがらせのメッセージを送りつける人がいたら。

　オンラインゲームは、たいてい誰と遊ぶか（対戦するか）を選べるし、自分の「ゲーム界」に誰を招待するかを決められる。いちばん安全なのはオフライン、つまり実際に会って遊ぶことだけれど、オンライン上では、友だちか、リアルの世界で信用できる人のリクエストだけを承認すれば安心だよ。

きみにリクエスト（友だち申請）を送ったんだけど。

リアルの世界で友だちになってからね。

ネットいじめに悩んだら話すのがいちばん

　もしきみが今ネットいじめにあっていたら、いやな気持ちでいっぱいで落ち着かないだろうね。ネットいじめをやめさせるのはうまくいく場合だけではないし、相手が名乗らないことには、誰にいじめられているのかもわからない。そんなときはいじめの心配がなくなるまで、なんとかうまくやり過ごす方法を考えてみよう。

しゃべると
気がラクに!

　自分のこころを気づかうことはとても大切だし、自分の感情を人に伝えるのは、こころにもからだにもよいことなんだよ。もしまわりの人に話すのは気が進まないなら、**文部科学省**は「**24時間子供SOSダイヤル**」0120-0-78310を整備している。いじめやそのほかの問題があったら、いつでも相談にのってくれるよ。

人に話すことがなぜよいか

　自分の身に起きたトラブルで大変なときに、気
持ちを誰かに話すことが一体なんの役に立つのか
と思うかもしれない。なぜ、よいのだろう？　そ
して誰に話したらよいだろう？

・ 悩む気持ちを抑えこもうとすると、落ちこむばかりだ。な
　 ぜなら、その感情にひとりで立ち向かわなくてはならない
　 と感じるから。気持ちを聞いてもらったり共感されたりす
　 ることで、ひとりぼっちではないと思える。

・ 人に話すと、自分の状況を別の角度や客観的に見る
　 ことができて、気づくことがあったり冷静になれる。

・ もし自分ひとりで悩ましい気持ちをなんとかしようとすると、
　 悪いほうへ想像がふくらんだり、大げさに考えたりしてし
　 まいがちだ。話を聞いてもらうことで、自分の感情をしっ
　 かりと受けとめやすくなる。

・親しい友だちや信頼できる大人に話をじっくり聞いてもらおう。または67ページや73ページで紹介した相談窓口に電話やメールをしてみよう。自分では手に負えない感情をうまくコントロールできるように手を貸してくれるスクールカウンセラーに相談するのもいい。

厚生労働省は年齢・性別を問わず、
LINE 等による SNS 相談を行っているよ。
LINE ID 検索 @ yorisoi-chat（生きづらびっと）

怒りやネガティブな感情とうまくつき合おう

　もしネットいじめを受けたら、頭にくるのは当然だ。怒りは困難や危機を切りぬけるパワーになることがある。なぜなら気弱になったり落ちこんだりといったネガティブな感情から救ってくれるから。ただ、その怒りをどう発散するかは考えよう。

怒りを前向きにとらえてよい方向に活用する方法をいくつか挙げよう。まわりの人に感情をぶつけるのはよくないからね。

からだを動かす：スポーツ、体操、ランニング、ダンスや水泳など、からだを動かして血流をよくし、筋肉を使うと、気持ちを静める化学物質が放出されてスッキリし、こころが落ち着く。

創作をする：物語を書いたり、絵を描いたり、ノート一面に黒い線を書きなぐるだけでも、こころが落ち着く。
音楽を聴く：好きな音楽に聴き入ったり、歌詞を書きだすとリラックスできる。

日記をつける：自分の思ったことを書く。怒りの感情からわき出た言葉を日記のページ全面にぶつけるつもりで書いてもよい。

想像力を働かせる：「視覚化」とよばれるテクニックがあり、それを利用する。自分の悩みの感情を空の雲として思い描き、その雲が流れ去る様子を思い浮かべる（少し練習が必要かも）。

得意なことに集中する：自分の得意なことに気持ちを向けてやってみよう。スポーツでもお菓子づくりでもゲームでもいい。気分がよくなるよ。

いじめを受けている人どうしで連絡を取り合う：同じような状況で困っている人と知り合ったり友だちになると、悩んでいるのは自分だけではない、自分のせいではなく、自分を責める必要はないと実感できる。

気持ちが落ちこんで立ち直れないとき

　気持ちがあまりに落ちこんで自分を傷つけたくなったり、自殺を考えたりする人もいる。もしそんなふうになりそうと感じるなら、どうかその気持ちを誰かに話してみてほしい。話すことで気持ちが落ち着いたり、冷静になれるはずだ。

　きみはいろいろな人にとって大切な人ということを思い出して。時間がかかっても、いつものきみに戻れるから。安心して楽しく暮らせる日がきっとくるよ。

ぜったいにだいじょうぶ！

何よりこれがいちばん大事……

今どんなに絶望していても、

自分を傷つけないで解決する方法が

必ず見つかるよ。

きみは悪くない

　いじめにあうと、自分がいじめられるようなことをしたせいだと考えるかもしれない。でも、それは違う。いやがらせの投稿をされたり、ネット上で自分のことででたらめを言われたりしたら、そんなことをする人が間違っているのであって、きみは関係ない。ネットいじめは困った問題だ。でもきみに問題はないんだよ。

ネットいじめはなぜ起こるのか

　理由はいろいろあるけれど、いじめをする人の動機はおもに次のようなものがある：

・　人をねたんでいる

・　人の気持ちをふみにじるのがうれしい

・　自分は強いと思いたい

・　自分が感じる負い目をかくそうとしている（自分のルックスに自信がないとか、家庭環境が恵まれていないと思っているとか）

　どんな理由があってもネットいじめをする言い訳にはならない。でもきみをいじめる人は、自分が抱えるいろいろな不安のせいでそんなことをしてしまうのだということは、覚えておくといい。

そういう人は本当は強い人ではなく、むしろ、こころが弱い人なんだ。

まさかきみはしないよね、ネットいじめ

　悪者なら黒ずくめの帽子と上着に、サングラスにマスクをしている、わけじゃない。きみだって気づかないうちに、ひどいことをしてしまうことはある。むしゃくしゃした気分のとき、誰かに八つ当たりしたりしてないかい？　ほんの冗談のつもりで友だちをからかって、関係がこじれたりしたことはない？

　誰かがいやがらせのコメントを投稿するときその場にいたら、きみもネットいじめに加わったことになる。そういうメッセージを転送したら、それもいじめだ。もしいやらしい画像や暴力で脅すような内容を転送すれば、罪に問われることもある。

　そんなことにならないようにするのはかんたん。それは、ネット上にコメントや投稿をするときはいつも、その内容についてよくよく考えて読み返すということ。

友だちの力になろう

　もし友だちがネットいじめにあっていたら、友だちの立場を想像することでどんな気持ちがするか理解し、話を聞いたりすることで友だちの力になれるね。もし同じ学校の誰かにいじめられているなら、そしてきみも知っている相手なら、ほかの友だちと協力してその相手に立ち向かい、いじめをやめさせることができるかもしれない。ただし、あまり自信がないなら別の方法を考えたり、いじめにあっている友だちに、大人にも話をするように励まそう。

ぼくらは仲間どうし、力を合わせれば強くなれる。いじめるやつは出ていけ、おまえなんか、こわくないぞ

暴力をほのめかす
脅しとストーカー行為

　犯罪になるいじめがある。もし誰かが暴力を
ほのめかす脅しのメッセージを送りつけてき
て、それが何度もしつこく続くなら、大人に相
談して警察に届けることを考えよう。そういう
ときは、受け取ったメッセージのログ（記録）
をとっておくことがとても大事だ。探偵になっ
たつもりで考えてごらん。犯人を捕まえるに
は、どんなに小さい証拠でも必要だよね。

　ただし、これは覚えておこう。きみにつきま
とうストーカーや暴力的な脅迫をしてくる人
が処罰されなくても、それはきみの責任で
はない。そこは警察や大人の仕事だからね。

インターネット♪大好き その5

クールでかわいい画像、いろいろ

この章は、気が重くなる話題だったね。気分をちょっと
変えて、こんな画像や動画を検索してみてはどうかな。

手に汗にぎるロケット
打ち上げの動画

大興奮・ロボット
どうしのサッカー対決

スケボーのみごとな
離れわざの画像

けなげな
赤ちゃんカメ

愛くるしい
子ネコたち

楽しい世界ひげ
選手権大会

幻想的な
オーロラ

驚くべき極小の
生き物、クマムシ

第6章 そのアイディアは誰のもの？

ネットや SNS 上には、さまざまな人が自分の創作を公開し披露している。ミュージシャンが自作の曲を音楽配信したり、テレビ番組の視聴者がファンフィクション＊を公開したり。

誰かがネット上に発表したものをコピーや盗作したり、無断転載（他人が作ったコンテンツを無断で別の場所で利用すること）するのは、いろいろなトラブルのもとになる。そもそも、それは犯罪だし相手に対して失礼な行為だ。たとえ誰にもバレなかったとしても、人のものを勝手に使わないのは当然マナーだ。

> ネットに関わる法律違反の基準は国によって違う。でも暴力をほのめかした脅迫は、どこの国でもたいてい違法なんだよ。

ネットや SNS 上には、盗んだり不正をしたりしても、サイレンを点滅させて駆けつける「ネット警察」はいない。けれども、もし他人のコンテンツを無断で使ったり公開したりすれば、実生活で弁護士から連絡を受けるおそれはある。

＊ファンフィクション（ファンフィク）とは、本やテレビ番組、映画などのファンが、その作品のキャラクターを使って書いた物語の続編のことで、おもにインターネット上に投稿される。

やった、無料で聴ける！

ネットではお金を払わずに音楽を聴く方法がいくつもある。広告動画が再生される代わりにストリーミング（ネット上の映像や音楽などのメディアをすぐ再生する技術のこと）で音楽を聴けるサービスなどがそうだ。YouTube（ユーチューブ）やLINE MUSIC（ラインミュージック）なども、この技術が使われている。

でも中には無料で公開されているようにみえて、そうではない要注意のものがあるよ。所有者がオンライン（ネットにつながっている状態）で無料公開するという許可を出していないのに、ダウンロード（スマホなどにメディアを保存すること）した場合、それは国によっては法律違反だ。

著作権てなに？

きみやほかの誰かが自分自身で文章を書いたり、写真を撮ったり、イラストを描いたり、楽曲を作ったりしてネットやSNSで公開すると著作者になって、創作物に権利が発生する。これは法律（著作権法）で守られている表現者の権利なんだ。著作者は、創作物を自分以外の人が使用する際に許可をしたり、使用に際して条件を付けたりできるし、またその創作物を勝手に改変したりすることを禁止することもできる。逆に、自分の創作物ではないのに、それをなんの説明も付けずに無断で公開したり、改変したり、自分の名前で発表することも著作権法で制限されているよ。

海賊！？

オレはイケてる帽子をかぶったネット上を航海する海賊さ！

たすけて

著作権のある作品をネットから無断でダウンロードしたり、DVDなど著作権のあるファイルを許可なく公開したりすることを、海賊行為とよぶ。海賊なんて何事かと思うけれど、要するに窃盗行為だ。ちなみに、無断でコピーして売られているCDやDVDのことは、海賊版というよ。

　ネット上に公開されているファイルを開いたり、ダウンロードしたりという行為そのものは違法ではないし、ネット上にアップしている人が許可しているなら、やってもだいじょうぶだよ。

ダウンロードするとき
ほかにも注意したいこと

　違法なダウンロードをすると、法律違反で訴えられることがあるだけでなく、使っているデバイスがウイルスに感染することもある。威力の強いウイルスだと、ウイルス対策ソフトでも防げず、買い替えが必要になったり、修理してくれるお店に持ちこまなければならないほどのダメージを受けたりする。

どうしてウイルスなんかに感染したの？

ええと……別に欲しくなかったんだけど手がすべって、『ドラゴン・ウォー』22話をついダウンロードしちゃったからかなあ？

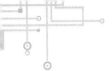
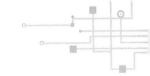

それって法律違反？

　法律は国によって違うけれど、次のようなものをネットやSNS上に公開するのは、どこの国でもたいてい違法だ。

- 著作権のある映像（動画）や映画、音楽（曲）、文芸（小説、詩、マンガなど）、美術など。

- 未成年者の性的な写真（もちろん、友だちの写真もだよ。転送する前に学校じゅうのみならず、世間に拡散されてもいいかどうかよく考えよう）

- 誰かを傷つけると脅迫したり、誹謗中傷（他人を誹り徹底的な悪口を言ったり、根拠のないことを言いふらして他人の名誉を傷つけること）する内容の投稿やコメント、メッセージを送りつけること。

違反するとどうなる？

　罰則も国によって違う。違法なダウンロード行為をしないよう警告を受けるかもしれないし、親が罰金を払う場合もある。違法行為が悪質になればなるほど、その罰も重くなるよ。

海賊行為はアーティストに
どんな被害を与えるか

　ネット上の海賊行為を正当化する言い訳として、「誰も傷つかないから」という人がいる。たしかに財布を盗むのとは違う。財布は盗まれれば中のお金といっしょに消えてなくなるのだから。一方、デジタル式の財産はコピーされて盗まれても消えてしまうわけではない。

　創作者がこうむる被害は、創作で生計を立てられなくなる可能性が生じること。ほかの人が著作物

を利用したり楽しむことによって、私たちは文化的で豊かな暮らしを送ることができ、そのおかげで文化が発展していることを忘れてはいけないよ。

　もし自分のバンドで作った新曲を配信して売ろうとするとき、誰かがその曲を断りなく勝手に無料配信（これが違法行為だよ）したら、わざわざお金を払って聞こうとする人はいないよね。

　これは創作者が困るというだけではすまない。音楽で稼げなければミュージシャンにとって痛手で先行きは厳しくなる。そうなれば解散の可能性が出てきてファンとしても悲しい。音楽（やインターネット上のあらゆるエンタテイメント）を合法的に手に入れるサービスは、すごくたくさんある。これからも好きなアーティストの曲は、正しいやり方で聴くようにして応援したい。

作り手に伝えよう

　作品を無料でネット上に公開している人に、それをきみがどこで見たり聴いたりしたか、また、作品の感想などを伝えてあげるのはよい習慣だね。

宿題の強い味方、だけど……

　宿題を出さなかったり、適当にやっても法律違反にはならないけれど、先生がきみの提出したレポートの文章が、どうもウィキペディアの記事と似ていると気づいたら？

　誰が発言しているのかを示す「かぎかっこ」を使って、引用していることをはっきりさせたり、出典（出どころであるサイト名やURL、書物名など）を入れれば問題はない。でもネット上で見つけた情報をまるごとコピーしたり、まるで自分が考えたり発見したような書き方をしてはいけないよ。

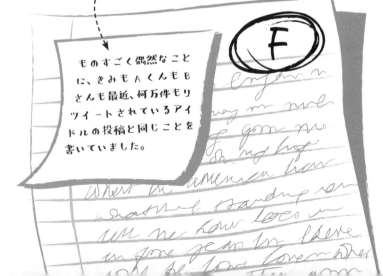

ネットからのまる写しは、居残りや先生に皮肉をいわれる覚悟がいるどころか、もっと大きな問題に発展する可能性がある。進級試験や入試に落ちる可能性もありだ。

ものすごく偶然なことに、きみもAくんもBさんも最近、何万件もリツイートされているアイドルの投稿と同じことを書いていました。

事実を見きわめよう

　ネットや SNS は、どんな人でも投稿できる。自分を自由に演出し表現する場があるというのはすばらしいこと。でも悪いほうに考えると、ネット上の投稿はデマや、でっちあげの「事実」やフェイクニュース、もっともらしい問題発言がたくさんあふれているということだ。

　ネットで検索するときは、見つけた情報をほかのウェブサイトと比べるなどダブルチェックをしたほうがいい。探している情報はどんなタイプなのかをまず考え、もしアート関連のイベント情報を調べたいなら、有名な美術館やアート・ギャラリーなどの信頼できるオフィシャルサイトで検索してみよう。

眠れる才能を大きく咲かせよう

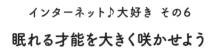

YouTube などの動画共有サービスを使えば、自分の得意なことを世界に発信できる。Vlog（ブイログ＝動画ブログ）製作者ことブイロガー（自分の日常や趣味をビデオで撮影し発信する人。YouTubeで動画発信する人のことは、YouTuber〔ユーチューバー〕とよぶね）の中にはフォロワーが増えて人気者になり、それでお金を稼ぐ人もいるよ。自分自身が出演したくない人は、作った美術作品や自作曲を発表したり、コンピュータ・プログラミングの知識やゲームの解説を披露したりしてもいい。

👉 注意：　作品をネット上で公開すると、誰かに真似されてしまうこともあるが、自分の創作でたくさんの人を楽しませるという満足感は、コピーされるリスクにまさるかも。

第7章　インターネットとお金

　ネットを利用するとき、多くのアプリやサイトで
は利用料はかからないが、安心してはいけない。
Wi-Fi（ワイファイ）＊ や無線 LAN の無い環境で動
画などを再生すると通信料がかかってしまうし、
無料ゲームで遊んでいたはずがゲーム内でのさら
なる遊び方やアイテムを購入するために課金（利
用者がお金をゲーム会社に支払うこと）してしま
うなど、いつの間にかお金をたくさん使ってしま
いがち。

　もしきみがクレジットカードやキャッシュカード
を自由に使えたり、身近な大人のカード情報を手
に入れたりしたら……課金やネットショッピング
で大金を使いこんで、すごい請求書が届くかも。

　ワンクリック（ボタンひと押し）で買い物したり
課金することは、お金を払う感覚に現実味がない。
でもその感覚にだまされてはだめだよ。

＊ Wi-Fiとは、スマホやパソコンなどのネットワーク接続に対応したデバイスを
　無線（ワイヤレス）でLAN(Local Area Network)に接続する技術。

アプリ内購入（課金）

　多くの無料ゲームは、よくみると本当はタダではない。ゲームのレベルを上げたり、キャラクターを増やしたり、変わった武器などのアイテムを使うためにお金を要求されること（＝課金）がある。

　ネット上でお金を使うとき、いつの間にかたくさん使ってしまう危険性がある。おススメのやり方としては、一定額のお金が入っているゲームプリペイドカードを利用すること。こうすれば、使える額が決まっているので使いすぎることはない。それでも心配なら、遊ぶのは本当に無料のゲームだけにするといい。

親などの保護者がサイトに登録している
キャッシュカードを使ってネット上で買
い物をするときは、買い物のたびに何を
買おうとしているのか、それを買ってい
いかどうか必ず確認しよう。もし親が持
っているカードのうち一枚は自分専用に
して使ってもよいと許可をもらっていたと
しても、だよ。

オンライン・ギャンブル

　依存症と聞くと、アルコールやドラッグを思い浮かべるかもしれない。ギャンブル（賭けごとやばくち）の依存症は10代のきみたちはあまり聞かないかもしれないけれど、社会的に大きな問題になっているんだ。

　きみが未成年なら、ギャンブルは法律で禁止されている。もしやれば、犯罪になるんだよ。

あなたは
20歳以上
ですか？

＊日本は2022年からは
　18歳以上が成人です。

もし、どうしてもやってみたくなったら、ギャンブルは自分や親にすごい借金がふりかかる危険があるだけじゃなく、精神的なダメージも大きいということを思いだすといい。ギャンブルは、やればやるほど、もっとやりたくてがまんできなくなるほど、ハイテンションになる状態を引き起こす依存性があるからだ。つまり、わざわざお金をかけて痛い思いをするということなんだよ。

もしギャンブルのことで悩んでいる人が身近にいるなら、消費者庁のサイトに相談窓口情報があるよ。

消費者庁　ギャンブル等依存症でお困りの皆様へ
https://www.caa.go.jp/policies/policy/
consumer_policy/caution/caution_012/

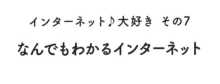

なんでもわかるインターネット

ネットへのアクセスをたとえてみると、まるで100万人分くらいの頭脳がいっせいに動きだすかのようだと思わない？　あの俳優の名前はなんだっけ？　牛の平均体重を知りたいんだけど？　ロシアの首都はどこ？　ネットはどんなことでも瞬時に教えてくれる便利なツールだよ。

第8章　性的な内容とポルノ

　ネットでいろいろなサイトを見て回り長い時間を過ごしていると、性的な怪しいサイトを見つけてしまい、そこで写真を見たり、いやらしい話を読んだりしてみたくなるかもしれない。大人は未成年が使うスマホやパソコンにフィルタリング（検索のときに有害なコンテンツが表示されるのを防ぐプログラム）をかけることがあるが、すべてを制限できるとは限らない。

　性的な内容に関わる情報を見る心の準備は、もうできていると思う人も、まだの人もいるよね。どちらであっても、性的な写真を見かけたりしたときどう対処すればよいか、つまり気分が悪くなるなど精神的なダメージを受けないためや、また違法行為からも身を守るための方法を知っておいたほうがいい。

 このページはNSFWです

NSFWとはNot Safe For Work（仕事中の閲覧には不向き）という意味だ。つまり大人だったら、その画面を上司に見られたくない内容ということ。NSFW表示のあるページはショッキングで気分が悪くなる内容があるかもしれないから、閲覧には注意が必要だよ。

ポルノって？

　ネットの写真や動画の中には、裸、わいせつな姿態や性的な内容を見せるものがある。ポルノグラフィまたはポルノと呼ばれるものだ。探そうと思わなくても偶然見つけてしまうかもしれない。

　ネット上で見る裸の写真すべてがポルノというわけではなく、中には美術作品の場合もある。ポルノは、見る人にいやらしい気持ちを起こさせるように作られたもの。でも、ポルノとポルノではないものの境目はあいまいだ。

ぼくはポルノじゃない、芸術作品だもの。ちょっと流行おくれのポルノ、っていえなくもないけどね。

自分の気持ちで決めよう

　ある作品がポルノといえるかどうかを見定めることは、たいした問題ではない。大事なのはきみの気持ちだ。もし何かを見て気分が悪くなったり動揺したりするなら、すぐに見るのをやめたほうがいい。

　まわりの友だちがみんな見ていても、自分がどう感じるかが大切。もしその写真や動画を見たくないと感じたなら、どう行動するかは自分で決めよう。

　そのうち興味をもつかもしれないけれど、もしかしたら一生もたないかもしれない。このことで覚えておいてほしい大事なことは、「いつ、どんなときもノー（いやだ、だめ）といってよいということ」。ネット上でもリアルでの行動でもね。

自分の気持ち、自分の判断がとても大事！
こんな写真や動画を見るのなんて平気だろうなどという人はいわせておけばいい。どう感じるかは人それぞれちがうし、それを決めるのはきみ自身だよ。

未成年を守る法律がある

　ポルノに関する法律は国によって少しずつ違うけれど、どの国でもポルノの閲覧には年齢制限があり、未成年の閲覧は禁止されている（イギリスも日本も 18 歳未満）。ポルノを見て逮捕されることはおそらくないだろうけど、どうして禁止なのかは、いちど考えてみるといいよ。

　この法律は若者を守るためにある。性的な行為をしているシーンを見るとぜったいにショックを受けるとは限らないけれど、気分が悪くなることはあるかもしれない。特に、ポルノで表現される行為は非現実的であることが多く、そもそも作品なので演技や演出で成り立っている。からだのつくりも、人それぞれちがうのだ。

わたしのからだ、あの女性みたいじゃないわ……

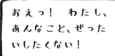

おえっ！　わたし、あんなこと、ぜったいしたくない！

作り物と演技

　もしかするとポルノを見て、こんなに気分の悪くなることをするのか、と誤解してイヤな気分になるかもしれない。

　ひとつ覚えておいてほしい。もしポルノを見ても、その内容は現実の行為と同じではないということを。一般的な映画と同じように、ポルノは作品として俳優が演じている。それがすばらしい演技かどうかは別にして。つまりそれが模範解答なんかじゃなくて、人それぞれいろんなかたちがあるんだ。テレビのコマーシャル（CM）や広告みたいに、ポルノは作られたものなんだよ。

こんなCMに出るなんてしんじらんない〜あたしリンゴだいっきらいなのにな〜。

幸せをよぶ
リンゴをどうぞ

おいしい、うれしい、ジューシー！

人のからだはみんな違う

　自分のからだは自分のものだよ。大事にするのも守るのも自分だし、どんなふうに使うかも自分で決めることだ。ポルノ作品に出演する俳優の姿を見て自分のからだとは違う、自分が変なのかも？と思う人がいるかもしれない。

　まわりの家族や友だちや、恋人のからだについても同じことだ。

　でもこんなからだがいいとか悪いとか、そんなことを考えたり気にする必要はないよ。からだとこころはひとりひとりみんな違うし、それが当たり前でとてもいいことなのだから。

ポルノを楽しんで見る人だっているし、からだやこころがそれぞれ違うように、それはそれでいい。また、からだやこころが急速に成長している10代だからこそ関心を持つのは、不健全というよりはむしろ健全なのかもしれない。でも世界には、こういった映像自体が違法とされる国もあれば、18歳未満の視聴が違法とされている国もあるので気をつけよう。

性的な言葉や写真をメールしたり投稿すること（セクスティング）

　服を脱いだ（またはほとんど裸の）自分の写真を送ることはセクスティングといわれる。そんなことを、軽々しくやってはいけないよ。両思いの恋人どうしで送りあうとしても、送る相手を信頼していても、相手以外の人に広まってしまう可能性は、常に大きい。ほんのはずみの送信ミスで、ズボンを脱いだ画像が世の中に拡散、なんてことになったら大変だ。

リベンジ・ポルノとは

　偶然のミスや「単なる悪ノリ」のせいで広まるならまだまし。元カレや元カノが服を脱いだ裸の写真をいやがらせで公開するひどい人が世の中にはいて、ニュースにもなっている。

　そのいやがらせはリベンジ・ポルノとよばれる。人に見られたくない写真はとにかく誰にも送らないほうがいい。

自分以外の写真もダメ

　もし誰かの裸の写真が送られてきたら、ぜったいにそれを転送してはいけない。いじわるでひどい行為だからという意味あいだけではなく、そもそも、それは違法でもある。

　18歳未満の子どもが裸になっている写真を公開することは、「児童ポルノ禁止法」に触れる。友だちの写真でも同じことだ。

　とても重い罪になったり罰金を払うことになり、なによりきみの人生の汚点になるから覚えておいてほしい。

言葉にも気をつけよう

　性に関わる情報や投稿すべてに写真がついているとは限らない。だからといって相手が不快になるいやらしい言葉を書きつらねたメッセージを送りつけていいわけではないよ。写真と同じように書きこんだ内容も拡散されるなど悪用される可能性がある。そういうコメントやメッセージはスクショ（スクリーンショット）で画像保存することができるからね。悪意をもって拡散されたら大きな問題に発展して、大きな被害を受けたり人に与えることになるよ。

性的なメールを送ったり投稿する前に、手を止めて考えよう

・ もし学校のみんなに読まれたらどんな気持ち？ もし親が見たら？　警察が見たら？

・ 本当にその内容を送ったり投稿したい？　それとも友だちの真似をしたり、自分の気持ちを書いているだけ？

・ 好きな相手に伝える、もっと安全な方法はない？

・ 「送信」ボタンを押した瞬間、どんな気持ちになる？

ネットやSNS上の投稿で
自分の価値が決まる？

　中学生や高校生になると、自分が人からどう見えるか、かっこよくとか、かわいく見えるかということが、気になってしかたがなくなる（そうならない人もいる、それはそれでラッキーだよ）。

　ネットやSNSはそういう心配を増やすかもしれないね。自分以外の人はみんな、自分よりかっこいいとか、かわいいと感じて、落ち込んだりするから。でも、だいたい誰もがみんな、いちばんよく撮れた盛られている写真を投稿するから気にすることはない。

これがリアルでの
姿と自信のなさ。

ネット上ではこんなに大きく！

　忘れないでほしいのは、ポルノと同じように写真はいくらでも加工して盛れるし本物とは違うということ。だからきみの人間としての魅力や真価は、自分の写真をたくさんの人にほめてもらったかどうかでは決まらない。リアルの生活でも、それはまったく同じだよ。

性のことや男女関係について聞くのが恥ずかしい質問などは、ネット上の相談窓口を活用しよう。厚生労働省が相談先として紹介している、「家族や友だち・からだ・勉強など人には言えない『困ったかも』」を手助けする10代のためのサイトがあるよ。

Mex（ミークス）
https://me-x.jp/

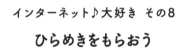

ひらめきをもらおう

音楽、アート、スポーツ、科学、プログラミング、ゲーム……、きみが好きなどの分野でも、ネットでいいアイディアを見つけることができるよ。ネット上ではどんな動画も検索しほうだい。コンピュータコードの書き方とか、自分の芸術作品をぐっと引き立てる方法とか、サッカーの試合で得点するノウハウとか、自分の動画をYouTubeにアップするやり方など、自分が必要とする情報をかしこく選んで、リアルの生活に活用できたらいいね。

　この章を読む前に、ここで取りあげる大人は「例外中の例外」だといっておこう。世の中には、人を傷つけようとするモンスターばかりがいるわけじゃない。

　でも残念なことに、未成年者をネット犯罪に巻きこむ悪い大人がいるのは確かだ。この章はそういう大人から身を守るのに役に立つと思う。読んで不安になる内容があるかもしれないので、親などの保護者に先に読んでもらい、そのことについて話し合いながらいっしょに読むのもいいだろう。

ネットとSNS上の性犯罪者

　情けないことだけれど、若者や子どもにいやがらせをしたり傷つけたいと考える非常識な心ない大人がいる。そういう人は未成年者と性的な話をしたり、からだに触ったりしたいという欲望をもつが、それは犯罪だし許されないことだ。

　これは性的虐待、子どもの性的搾取とよばれ、そういうことをする大人は性犯罪者や小児性愛者とよばれる問題を抱えた人間だ。彼らはあらゆる手を使って子どもに取り入ろうとする。

子どもの誘い出し

なりすまし

ネットでは、本当は誰と話しているのかわからない場合がある。顔が見えないため、子どもをねらう大人が子どものふりをすることがある。こうやって相手を安心させて近づこうとするのだ。これをグルーミング（誘い出し）という。

あぶないサインに気づこう

こういう人がいたら要注意……

 やたらとおだてたり、ほめまくったりする。
自分は特別という気にさせて、信用させようとしているかも。

 性的で不快なじょうだんをいったり、話題を変えていやらしい話をしてくる。

 個人的なこと、特にからだのことや着ているもののことをいろいろと聞いてくる。

 話す内容を誰にもしゃべらないように、秘密にするようにといってくる。

 こちらのいうことになんでも同意し、好みを真似る。性犯罪者は、よく相手と同じことに興味があるふりをする。

 家族を信用しないようにというアドバイスをしてくる。

 会ったこともないのに、好きとか付き合いたいという。

ここに挙げたような人とネットやSNS上で話すことがあれば、信頼できて話しやすい大人に相談しよう。もし話せる大人が身近にいなければ、**都道府県警察の少年相談窓口**に連絡してみよう。
https://www.npa.go.jp/bureau/safetylife/syonen/soudan.html

🔒 ねらわれないように！

　個人情報をネット上にむやみに公開してはいけない理由はたくさんあるけれど、性犯罪者にねらわれやすいというのも、重大な理由のひとつだ。

　もしきみの写真をほめまくって、家の住所や行きつけの場所を聞いてくる人がいたら、その人がきみに会いにくる危険性があるんだ。

> きみ）ウチの近くのプールがすごいの。ウォータースライダーが超やばくて

> 性犯罪者）へえ、それどこだい？
> 行ってみたいなあ。

> きみ）オクスレーよ。近くに住んでるの

> 性犯罪者）偶然、近いみたい！　土曜日の午前中はよく行くの？　きみに会えるかな？

　性犯罪者は相手の情報をたくみに聞きだし、ニセの親密な雰囲気を作りだして相手を信用させようとする。

顔見知りでも安心しない

　ネットやSNSを介して起こる性犯罪や虐待
には、知り合いの大人、たとえば学校や地域
のイベントや行事で出会った人から受ける被
害もある。

　リアルの世界で未成年者と知り合った性犯罪
者は、親などの保護者、学校の先生などに知
られないよう、ひとりのときをねらってネッ
トやSNS上で話しかけてくる。

　もし知り合いの大人からメッセージやコメン
トを受け取ったら、べつに害があるとは思わ
なかったり、疑う必要がなさそうな場合でも
親などの保護者に知らせておこう。ネットや
SNSできみに連絡してくる大人がいることを
知っているだけでも、もし何かあったときに
きみを守る手だてをとれるから。

　きみがネット上で話す大人と顔見知りであってもな
くても、その人がもしネットの外で（リアルで）ふたり
きりで会おうといってきたら、ぜったいに会っては
いけないよ。

ネット上でも虐待は起きる

　性犯罪者はリアルで会って犯罪に巻きこもうとするとは限らない。ネット上でも、犯罪や虐待は起こる。たとえばきみの裸の写真をほしがったり、向こうからそういう写真を送りつけたりすることなどだ。

　また、いやらしい会話をしようとするかもしれない。実際に会ったり、触られたりしなくてもこれは犯罪なんだよ。

ウェブカメラやビデオ通話には要注意

　知らない人にウェブカメラや FaceTime などのビデオ通話アプリで話そうといわれたら、断ろう。相手が性犯罪者だったらきみをだましてからだの一部を撮影させたり、服を脱ぐよう促し裸でポーズを取らせた写真を送らせようとするかもしれない。

超ムカつくけれど：　ウェブカメラは相手にハッキング（乗っ取り）されてしまうことがある。だから使わないときはコンピュータを閉じておこう。ハッキングして侵入した誰かに、カメラでのぞき見されたらこわいよね。

ウェブカメラには
こんな格好のもの
もある。

タブレットやノートパソコン
に付いているカメラは、たい
ていとても小さい。

もし性犯罪、児童虐待の被害にあったら

　ネット上でもリアルの生活でも、性犯罪の被害にあったら、誰かに話し、自分の気持ちを聞いてもらい、助けてもらうことが大事だ。直接会って触られるなどの被害はなかったとしても、そのショックは自分が感じている以上に大きく、つらい思いをしているはずだよ。

　忘れないでほしいのは、被害を受けたのはきみのせいではないし、こんなときはいろいろな思いがわき起こって気持ちが混乱するのは当たり前だということ。きみを虐待した人は、罪を犯した人間なんだ。親などの保護者や信頼できる人に伝えて、警察に届けてもらおう。

　思い出すのもつらいだろうけれど、受け取ったすべてのメッセージや、不適切な（いやらしい）写真も動画もすべて記録として保存しておこう。その容疑者が罪を犯したことを警察が立証するとき役に立つし、それによって罰することもできる。

もしも性犯罪の被害にあったら、115ページで紹介した都道府県警察の少年相談窓口に連絡してみよう。

ネットを悪用する大人

　ネットを悪用するのは性犯罪者だけとは限らない。ネットを使って若者を洗脳しようとする大人もいる。さらに、子どもや10代の若者を犯罪に引き入れようとする大人もいる。

　たとえば、テロリストはネットを通して若者を洗脳し、爆弾や地雷を仕かけさせたり、そのほかさまざまな残虐な行為をさせようとする。

　こういう人は性犯罪者と同じように、きみのことをおだてるなどうまく取り入って、自分は選ばれた特別な人間だと信じ込ませようとする。そして、手を貸してもらえればきみの人生はすばらしく有意義なものになり、世界中の人々からヒーロー扱いされるなどとささやいて誘惑する。

本当は、人殺し（テロ）をさせようとしているのに。

見分けるのは難しい

　暴力行為をうながす投稿をする人には警報が鳴る、などというしくみがネットにあればいいのだけれど、実際はそんなにわかりやすくない。そういう誘いの中には、世の中のよい面と悪い面について疑問を投げかけるところから始め、社会の問題点ばかりを取りあげて話してくる人もいる。

　ネット上で怒りをぶつける人がみんな、危険な思想をふきこもうとするとは限らない。でももし誰かの書きこみがぼやきをこえて過激になりはじめたら——特定の人を悪と決めつけ、傷つけてもかまわないなどといいだしたら——その人から離れるべきだ。

　ネットやSNS上でもし他者から、危険なことをするように説得や洗脳をされそうになったら、また、暴力行為を正当化しようとする発言をされただけでも、信頼できるまわりの大人に相談したほうがいい。身近にそういう人がいなければ、115ページで紹介した都道府県警察の少年相談窓口に連絡してみよう。

インターネット♪大好き　その9

お話の宝庫だよ

紙の本もステキだけど、ネットを通して、ウェブコミックから昔話、ファンフィクション（すでにある作品や人物を元にファンが書いた二次創作）まですばらしいさまざまな作品を楽しむことができる。

たとえば、グリム兄弟が書いた著作権が切れた童話などは、ネットではすべて無料で読めるよ。（原作は、小さいときマンガやアニメで目にしたものとちょっと違う、と思うかもしれないね）

もし今、きみがネット上でいじめにあっていたり、いじめでなくてもとてもつらくて苦しい問題をかかえていたら、ひとりで悩む必要はない。

　この章ではネット上で困ったことが起きたとき、どんなふうに助けをもとめたらよいかについてまとめたよ。ちなみに、この本の最終章は大人にも向けて書かれたページで、どのように子どもの相談にのればよいかについてふれている。

小さくてもいじめはいじめ

　自分の悩みを誰かに話すのはかんたんじゃない。知られるのは恥ずかしいと思ったり、プライドがじゃましたり、自分のせいで起きた問題だからとためらったりもする。そんなに深刻ではないからひとりで解決しようと思うかもしれない。ネット上の問題だしリアルの生活と関係ないと考えると、事の重大さを現実的に感じられないかもしれない。

そんなに思いつめんなよ、
どうせネットの中の話だろ、
いちいち気にすんなって。

内なる声（こっちには耳を貸さないほうがいい）

　けれども、もし今きみが落ちこんだりいらいらしたり不安になっているなら、リアルの生活に影響が出ているわけで、それは問題あり、ということだよ。まわりに助けをもとめよう。

自分の気持ちを大事にしなくちゃ。助けてもらおうよ。

内なる声
（役に立つほう）

誰に相談する？

- **友だち**：もし今ネットいじめにあっているなら、友だちに話してみよう。きっと力になってくれるはず。

- **親などの保護者**：きみの話を聞いたり、困っている問題を解決する手助けをするのは当たり前の存在だよ。ネット上の話し相手が信頼できる人かどうかという判断についても、アドバイスをもらおう。

- **電話やネット上の相談窓口**：個人的なことを打ち明けるのは勇気がいるかもしれない。でも安心して話せる大人がまわりにいないと思ったら、思い切って相談したほうが、解決してスッキリする。匿名で相談できる相談窓口もあるよ。

- **スクールカウンセラーや医師**：気持ちが落ちこんで苦しいときは、親などの保護者や先生に頼んで学校のカウンセラーや病院の予約をとってもらおう。

- **ソーシャルメディア**：ソーシャルメディアのウェブサイトには、たいていヘルプページがあるので、問題を報告したいときや投稿や写真の削除を頼みたいときは参考にしよう。

具体的な解決策と精神的なサポート

　悩みに対する具体的な解決策を提案するより、精神面でのサポートのほうが得意な人もいる。親などの保護者は、ネットやSNSについてきみより詳しくないかもしれないけれど、ネットやシステム関係の仕事をしている大人に対策を聞いてくれたり、何よりきみの心の支えになってくれる。問題が深刻なら、警察に相談するなどの対応も一緒にしてくれるから、ためらわずにどんどん頼ろう。

> おまえのことはいつも
> 大事に思っているし、
> なんでも手を貸すよ。
> ただ「ギューチューブ」のことは
> よくわからないんだ……。

もしネットやSNS上の実践的なアドバイスがほしければ、コンピュータに詳しくて信頼できる先生や先輩に聞くのもひとつの方法だ。

きみが今すごく困っていたら、ひとりで悩まないで。いじめを恥ずかしいことと思わなくていいよ。イギリスでは全ての若者のうち約6割がネットいじめを経験している。そのうちの約4分の1が、いじめは珍しいことではなく、しょっちゅう起きることだといっている。

気持ちはきっと上向きに

ネットいじめはどんなものでも許してはいけない。被害にあった人は、孤独感や恐怖、ときには恥ずかしい思いを味わう。それは被害にあえば感じて当たり前の気持ちだ。自分の感情を思い切ってまわりに話してみよう。そして忘れないでほしいのは、ずっと同じ気持ちや状態が続くことはないということ。気分も状況もきっとよくなる。長い目でみれば、いつかは解決し何もかもすべてうまく収まるから前向きにね。

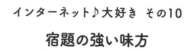

インターネット♪大好き　その10

宿題の強い味方

Wikipedia（ウィキペディア）からのまる写しや、ほかの人の論文をコピー＆ペースト（コピペ）した宿題はアウトだけれど、調べ学習をしたり知識をおもしろく学べるサイトは山ほどあり、宿題や課題をこなすのに役立つ。

ネットを使って宿題をするときに注意したいのは、専門家による執筆・監修の信頼できるサイトかどうかを確かめること。そして、なるべくいろいろな情報源を参考にし、自分の言葉で自分の考えも加えながら書くことだ。たった1か所のサイトから長々と書き写すより、ずっと自分のためになる宿題になるよ。

また、情報や発言を引用する場合は、出典を記載するようにね。

第11章　たまにはネットと SNSからはなれよう

　ここまで読んで思ったかもしれないけれど、ネットと SNS はいろいろな問題もありながらやはりすばらしい発明だよね。それでもたまには、ネットなしの生活も悪くない。

　時にはスマホの電源を切り、タブレットをしまい、パソコンを閉じてごらん。気分もからだもすっきりして、友だちとの関係もよくなるよ。世界はネットと SNS がすべてではない。頭の休息日を作り、ネットと SNS なしのリアルな生活を楽しもう。

あふれる情報

　ネットには情報の嵐がうず巻いている。文章はもちろん、写真、広告、動画などなど。ネットいじめやいろいろとトラブルが起こらなくても、時には疲れたりうんざりすることもあるだろうね。

　ニセの情報や自分に必要のない情報など、たくさんの情報の中から、正しくて自分のために役立つものを取捨選択することが大切だし、情報の嵐から避難して頭を休ませる時間も大切だよ。

> 話題のダイエット食品の広告を見るのはもううんざりだ。まだ情報が足りないっていうのなら、きみの頭から飛び出して何もない砂漠まで逃げちゃうぞ。

疲れた脳みそがストップする前に休みをとろう。

「行方不明」に なるのが心配？

　毎日チェックして いるネットや SNS からしばらくはな れてだれともつな がらないのは、勇 気がいることかも しれない。

　だけどネットや SNS のことをそ こまで大げさに 考えることはな

言葉にできない恐怖！
信じられない！
つながらないなんて！

ネットと
SNS
なしの毎日

キャスト……

💀 きみと

お気に入りなし
画像なし
人間どうしのガチな
付き合い

👎

とびきり
怖い
ホラー！

いんだよ。犬の顔に加工した自分の写真なんか、 急いで送らなくても別にかまわないよね。

　たまには思いきって休みをとろう。しばらくス マホやパソコンから距離をおき、ネットや SNS を見ないと友だちにいっておけば、あの子はどう したんだろう？　何かあったのかな？　と心配さ れることはないはずだ。

外に出よう

　スマホをずっと触ってネットと SNS ばかり見ているると（こういう人は最近多いよね。電車の中でもよく見かける）、家から一歩外に出れば、世界はこんなに色あざやかだということを忘れそうになる。

　外に出かけるのはからだにもこころにもいいよ。でもみんな、こころやからだの健康のためだけに外へ行くわけじゃない。出かけたり友だちと会うのは楽しい気分になれるからだ。そして、自然の光をあびて運動すれば体調や気分もよくなるし、日光浴でからだはカルシウムや骨の代謝に欠かせないビタミン D を作れるから、骨や歯、筋肉もじょうぶになるだろう。

顔を見て話す

　顔を合わせて目を見て話すと相手の表情がわかる
し、笑い声が聞こえて安心できるし、心から楽し
める。

　ソーシャルメディアから一歩はなれると、ネット
や SNS の公開用に編集されたよそゆきの相手では
なく、長所も欠点もあるひとりの人間として向き
合えるのもよい点だ。

頭ばかり使わないで

　ネット上のやりとりばかりしていると、頭だけをはたらかせているような気分になってくる。そんなときはからだとのつながりを感じる時間を作ろう。

　走ったり、泳いだり、得意かどうかはさておき好きなスポーツをしてごらん。きっと親指と人差し指ばかり動かすより、からだじゅう、そしてこころまで気持ちがいいと感じられるはず。

こうすればいい

ネットとSNSを上手に楽しむには、①使わない時間もじゅうぶんとる、②リアルな生活の補助的ツールにすぎないことを忘れずに。③注意しながら使う。この3つが大切。慎重に、用心しながら行動すれば、その道具のおかげで夢のようなすばらしい時間を過ごせる。いい面と悪い面、楽しさと危険が混ざり合ったもの、それがネットとSNS。つまり、私たちの住むリアル、すなわち現実社会とまったく同じだ。

インターネット♪大好き　その11

ネット以外の楽しいことをネットで見つけよう

家でぶらぶらしているより、ネットで行きたい
場所や楽しいイベントを見つけよう。
たとえば……

・ 博物館や美術館、アートギャラリーで開催
　されるイベント。

・ スケートボード場や、鳥のさえずりや川の
　せせらぎなどたくさんの自然にふれられるス
　ポット。

・ 古代ローマ遺跡から、よろいの試着ができ
　る古城まで歴史的名所の数々。

・ 遊園地など、絶叫マシンのあるところ。

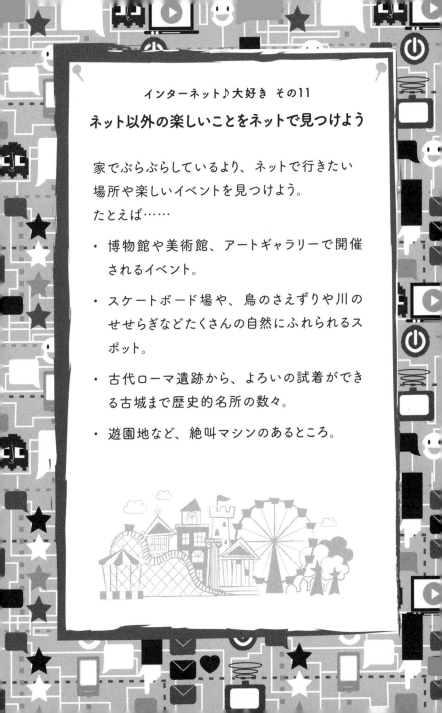

保護者のみなさんへ

ネットとSNSは、今や子どもの成長にあわせて当たり前に親しむものとなりましたが、親としてはわが子がネットにあふれるどんな有害サイトやアプリ（そして有害な人物）に出会うかと思うと、心配がつきません。

子どもの安全のために

あなたのお子さんや関わりのある子どもたちにはぜひ声をかけ、外出先やネット上でつながっている相手のことを聞いておきましょう。よく使うサイトやアプリを知っていれば、何かあったときに安心です。

とくにプライバシー保護の設定についてはよく理解しておき、有害なメッセージを送ってくる人をどのようにブロックし、管理者に報告する方法についても確認しておくべきことです。くわしい方法は、各アプリやサイトの問い合わせページが参考になります。

助けてほしいときは

　お子さんがネットや SNS 上でいやな思いをして
いたり、ネットいじめの被害にあっているなら、オ
ンラインのさまざまなサポートサービスや電話のヘ
ルプラインがあります。学校にカウンセラーが来て
いる日時を確認したり、かかりつけの医師に頼んで
セラピストを紹介してもらうのもよいでしょう。

　いじめられた子どもは自分が悪いと思ったり、恥
ずかしいことだと思いがちです。それは違うときち
んと伝えて安心させてやり、思い切って話してみる
ように励ましましょう。

ネットいじめを通報する

子どもに対するネット上のいやがらせやいじめが深刻
な場合、犯罪に発展することがあります。疑わしいと
きは、地元の警察署や、p115で紹介した**都道府県
警察の少年相談窓口**に相談してみましょう。

https://www.npa.go.jp/bureau/safetylife/
syonen/soudan.html

索引

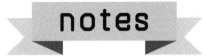

著者略歴

ルーイ・ストウェル Louie Stowell

オックスフォード大学エクセター・カレッジで英文学を学ぶ。イギリスの児童書出版社にライター・編集者として所属して、歴史、神話やサイエンス、マンガの書き方など幅広い分野の書籍を手がける。邦訳された著書には、『コーディング フォー ビギナーズ PYTHON』日経BP社（2018年）、『図解 はじめて学ぶ みんなの政治』晶文社（2019年）などがある。

訳者略歴

小寺敦子　（こでら・あつこ）

神奈川県在住。お茶の水女子大学大学院修了。短大非常勤講師、私設ゆりがおか児童図書館の活動を経て、英語圏の子どもの本の翻訳を始める。日本翻訳家協会会員。訳書に『ぼくが本を読まない理由』PHP研究所（2015年）、『宇宙のことがわかる本』大日本絵画（2016年）、『つながる百科 地球なんでも大図鑑』東京書籍（共訳、2018年）、『なんみんってよばないで。』合同出版（2019年）など。

ブックデザイン	長谷川理
カバーイラスト	後藤知江
本文イラスト	ナンシー・レシェニコフ
	後藤知江(p.4, 5, 8, 11, 14, 27, 33, 42, 57, 72, 73, 75, 80, 88, 98, 114, 123, 124, 126, 129, 132)
DTP・編集協力	株式会社リリーフ・システムズ
写真(p86)	skateboarder ©Daniel Milchev/Getty Images; bearded man © Daniel Berehulak / Staff/Getty Images; tardigrade ©Eraxion/iStock/Thinkstock; kitten ©Martin Poole/ DigitalVision/Thinkstock; baby turtle ©italiansight/ iStock/Thinkstock

U18　世の中ガイドブック
ネットとSNSを安全に使いこなす方法

2020年4月24日　第1刷発行
2021年8月30日　第2刷発行

著　者	ルーイ・ストウェル
訳　者	小寺敦子
発行者	千石雅仁
発行所	東京書籍株式会社
	〒114-8524　東京都北区堀船2-17-1
	電話　03-5390-7531（営業）
	03-5390-7512（編集）
	https://www.tokyo-shoseki.co.jp
印刷・製本	株式会社リーブルテック

ISBN978-4-487-81361-2 C0095
Staying Safe Online
Copyright ©2016 Usborne Publishing Ltd. UK.
Japanese translation rights arranged with USBORNE PUBLISHING LTD. through Japan UNI Agency, Inc., Tokyo
Japanese Text Copyright ©2020 by Tokyo Shoseki Co., Ltd.

乱丁本・落丁本はお取替えいたします。
定価はカバーに表示してあります。
本書の内容を無断で複製・複写・放送・データ配信などをすることは固くお断りします。